ISBN 0-7172-2849-5

Dépôt légal 1er trimestre 1992
Bibliothèque nationale du Québec

Imprimé aux États-Unis

Disney

Scamp à la rescousse

GROLIER LIMITÉE
Montréal

Jim Chéri et sa femme Chérie vivent dans une belle maison avec leurs chiens Belle et Clochard.

Belle et Clochard ont quatre chiots — Sissi, Souci, Suffi et Scamp.

Sissi, Souci et Suffi dorment dans un panier, recroquevillés sur la douillette couverture rouge.

Ils aboient doucement.

Ils jouent calmement.

Ils marchent lentement et gracieusement.

Mais avec Scamp, c'est une autre histoire.

Il saute partout.

Et il pourchasse les oiseaux.

Parfois, il fait fâcher Jim Chéri.

Jim Chéri veut que Scamp apprenne à lui apporter ses pantoufles, mais Scamp préfère s'enfuir avec elles!

Un jour, Tante Sarah vient leur rendre visite.
«J’aimerais aller promener les chiots dans le parc», dit-elle.
«C’est une excellente idée», répond Chérie.

«Suivez-moi, les petits!» leur dit Tante Sarah en prenant la direction du parc.

Sissi, Souci et Suffi obéissent à Tante Sarah, mais Scamp se met à courir devant eux.

Il fait très beau ce jour-là et beaucoup de gens se promènent dans le parc.

Tante Sarah s'assoit sur un banc pour lire.

Sissi, Souci et Suffi jouent calmement à ses côtés.

Mais Scamp s'enfuit.

«Reviens ici!» crie Tante Sarah.

Mais Scamp poursuit sa course, passant tout près de renverser un homme marchant avec une canne.

Puis il passe au beau milieu de pique-niqueurs!

Tante Sarah est très fâchée. «Viens ici, Scamp!» crie-t-elle.

Mais Scamp ne s'arrête pas.

Il arrive alors à l'étang et se met à japper après les canards et les grenouilles qui, effrayés, s'enfuient.

Ensuite, il creuse un trou dans le jardin.

«Vilain chien!» crie Tante Sarah en brandissant son parapluie dans sa direction.

«Je vais te ramener à la maison immédiatement.»

Mais Scamp échappe à Tante Sarah.

Elle le pourchasse, mais le chiot est trop rapide et il disparaît derrière un gros arbre.

Scamp court rejoindre Sissi, Souci et Suffi.

Il se cache derrière un buisson pour essayer de les surprendre.

À ce moment, un homme et une femme à l'allure suspecte arrivent en voiture.

Ils descendent de leur voiture avec une assiette de biscuits dans les mains.

«Venez manger, petits chiens», disent-ils.

Sissi, Souci et Suffi s'approchent d'eux.

À ce moment, l'homme saisit les chiots et les met dans un sac que tient la femme.

Scamp observe la scène sans faire de bruit.

Que va-t-il se passer ensuite?

L'homme place le sac sur le siège arrière de la voiture.

Il prend ensuite place derrière le volant et s'en va.

Comme Tante Sarah n'est toujours pas là, Scamp décide de les suivre.

La voiture va très vite, mais Scamp tient bon.

Il passe devant un étalage de fruits, au coin d'une rue.

Où emmènent-ils Sissi, Souci et Suffi? se demande Scamp.

La voiture tourne le coin et Scamp court encore plus vite pour ne pas les perdre de vue.

Boulangeri
Au Bon Pain

Juste à ce moment, un camion de livraison s'amène dans l'autre sens.

Le malheureux Scamp saute rapidement sur le trottoir pour l'éviter, mais il trébuche...

et roule jusqu'à l'étalage de fruits.

Les fruits s'éparpillent dans toutes les directions et le propriétaire se met à crier après Scamp.

«Vilain chien!» dit le propriétaire.

Il saisit un balai et chasse Scamp de son magasin.

Lorsque Scamp arrête enfin de courir, il s'aperçoit qu'il est dans une partie de la ville qu'il ne connaît pas.

Il renifle le sol tout en poursuivant sa route, croyant qu'il peut ainsi retrouver Sissi, Souci et Suffi.

Après quelque temps, il arrive devant une grande clôture en bois.

Ne sachant trop que faire, il va vers sa droite et bientôt, il croit apercevoir la voiture que conduisaient l'homme et la femme.

Scamp court jusqu'au coin de la rue.
Eh oui! C'est bien la même voiture!
Elle est stationnée de l'autre côté de la rue devant une grande maison.

Scamp traverse la rue et s'approche de la clôture qui entoure la maison.

Sissi, Souci et Suffi sont derrière la clôture.
Ils ont l'air très malheureux.

Pendant ce temps, Tante Sarah est toujours au parc.

Elle a cherché partout, mais n'ayant pas réussi à trouver Scamp, elle est retournée au banc où elle avait laissé les autres chiots.

Mais les chiots n'y sont plus! «Oh mon dieu!» s'écrie-t-elle alors.

Tante Sarah fait le tour de parc en appelant les chiots, mais ils ne viennent pas vers elle comme à l'habitude.

Elle regarde même derrière un buisson, mais n'y trouve qu'un écureuil.

Finalement, Tante Sarah retourne chez Jim Chéri et Chérie et leur annonce que les chiots ont disparu.

«Je les ai cherchés partout, mais en vain», dit-elle tristement.

«Il faut prévenir la police», dit Jim. Chérie se met à pleurer.

Belle et
Clochard sont
très inquiets
pour leurs
petits.

Scamp s'est depuis approché de la clôture.

Sissi, Souci et Suffi sont vraiment très contents de le voir!

Scamp sait comment les sortir de là.

Il se met aussitôt à creuser un trou sous la clôture.

Il creuse et creuse, envoyant la terre dans toutes les directions.

Bientôt, Scamp atteint l'autre côté de la clôture.

Sissi passe le premier...

Puis s'est au tour de Souci.
Scamp jappe de joie.

Puis enfin, Suffi
les rejoint aussi.

Mais, ayant entendu les aboiements de Scamp, l'homme regarde par une fenêtre et voit les chiots s'enfuir.

«Revenez ici!» crie-t-il.

Mais les chiots sont déjà très loin.

Les quatre chiots courent vers leur maison, Scamp en tête.

Ils montent les marches et Scamp gratte à la porte et jappe pour qu'on vienne leur ouvrir.

Jim Chéri ouvre la porte et aperçoit les chiots.

«Oh! Merci mon dieu, vous êtes tous sains et saufs!» dit-il, heureux d'avoir retrouvé ses chiots.

La famille est à nouveau réunie.

On ne sait trop comment, Jim Chéri, Chérie et Tante Sarah savent que Scamp a sauvé les autres chiots et ils sont tous très fiers de lui.

Belle et Clochard aussi sont fiers de Scamp.

Ils savent qu'il est un chien spécial, même s'il se retrouve dans le pétrin de temps en temps.